y el

RESCATE EN LA PLAYA

Bruño

Para Maisie.
J.S.

Para Dana Mae.
C.E.

Título original: *Zak Zoo and the Seaside SOS,*
publicado por primera vez en el Reino Unido por Orchard Books,
una división de Hachette Children's Books
Texto: © Justine Smith, 2012
Ilustraciones: © Clare Elsom, 2012

© Grupo Editorial Bruño, S. L., 2013
Juan Ignacio Luca de Tena, 15; 28027 Madrid
Dirección Editorial: Isabel Carril
Coordinación Editorial: Begoña Lozano
Edición: Cristina González
Preimpresión: Equipo Bruño

Traducción: © Eva Girona, 2013

ISBN: 978-84-216-9982-9
D. legal: M-11001-2013

www.brunolibros.es

y el

RESCATE EN LA PLAYA

Justine Smith • Clare Elsom

Zak Zoo vive en el n.º 1 de la avenida de África. Sus padres están de expedición en la selva, así que su familia animal es la que cuida de él, aunque a veces las cosas se ponen un poco . . . ¡BESTIAS!

Papá

Mamá

Tom

Pamela

Zak

Tata Hilda

Rosi y Ruperto

Otto

Betty y Bárbara

Max

Mia (la mejor amiga de Zak)

El sábado por la mañana, Zak Zoo
acabó de escribir una carta
a sus padres y se la entregó a Tom,
el pájaro mensajero.

Tom fue volando a entregar la carta.

Queridos papá y mamá:

Espero que estéis bien.

Hoy vamos a ir a la playa.

Un beso,

Zak

Cuando Zak y su familia animal
se pusieron a la cola del autobús
que iba a la playa, al conductor
no le gustó nada... Mia, la amiga
de Zak, empezó a preocuparse.
—¡Tranquila, será muy divertido!
—le dijo Zak.

Pero... ¡horror!
Ruperto
rompió
un asiento
del autobús...

Betty y
Bárbara
abollaron
el techo...

Y Max se cargó los limpiaparabrisas...

El conductor estaba muy enfadado.
Cuando vio a Zak comiendo patatas
fritas, le dijo:
—¡Está prohibido comer
en el autobús!

Por fin se pusieron en camino.

Todos estaban muy contentos de ir
a la playa.

—¿Y si cantamos? —propuso Zak.

—¡Está prohibido cantar en el autobús!
—gruñó el conductor.

Todos se callaron, y entonces,
el autobús empezó a hacer unos
ruidos muy raros… Se oyó como
un «fshhh», y un «psss», seguidos
de un largo «sssss».

—Creo que es un pinchazo —dijo Zak.

El conductor paró el autobús y todos
tuvieron que bajarse.

¿Conseguirían llegar hasta la playa?
—¿Podemos ayudar? —preguntó Zak.
Ruperto levantó el autobús mientras
el conductor cambiaba la rueda.

Todos volvieron a montarse
en el autobús muy contentos.

La cosa iba bien… hasta que Max
rompió el GPS y Otto se zampó
el mapa de carreteras.
¡Qué horror!

—¡Betty y Bárbara pueden enseñarnos
el camino! —exclamó Zak.
Y las dos buitres echaron a volar
en dirección a la playa.

Por fin, Zak y su familia llegaron
a la playa. Hacía un día estupendo,
y unos fueron a darse un baño
mientras los demás se quedaban
en la arena.

—¿Queréis jugar con nosotros?
—le preguntó Pamela a la gente,
pero todos salían corriendo asustados.
Bueno, todos menos el conductor,
que se remangó los pantalones
y se comió un helado.

Zak se sentó en una tumbona
y escribió una postal a sus padres.

Queridos papá y mamá:

Estamos descansando
en la playa. Todo está
muy tranquilo.

Un beso,
Zak

Cuando Zak estaba pegando el sello
en la postal, hubo un destello en el
agua, mar adentro.

—¿Qué es eso? —preguntó Mia.

Zak miró por los prismáticos...
¡Era un barco hundiéndose!
Enseguida avisó a todos
para que ayudaran.

Mia trajo unos chalecos salvavidas.

—¡Los que sepáis nadar bien,
id a rescatar a esas personas!
—pidió Zak, y varios animales
nadaron hasta el barco mientras
él daba instrucciones desde la orilla.

Muy pronto, los tripulantes del barco
estuvieron a salvo.

—¡Muchas gracias! —dijeron aliviados.

El conductor del autobús estaba
impresionado.

—¡Buen trabajo! —felicitó a Zak.

Zak y su familia animal se subieron
de nuevo al autobús.

—¿Y si cantamos algo? —propuso
el conductor.

Y todos volvieron a casa cantando.

Títulos de la colección

www.brunolibros.es